Paolo Barbieri

Night Fairies

Paolo Barbieri

NightFairies

Fantasy Visions

Arte di · *Artwork by:* Paolo Barbieri
Testi di · *Texts by:* Paolo Barbieri

Grafica · *Graphic Layout:* Paolo Barbieri, Chiara Demagistris
Grafica di copertina · *Cover Design:* Paolo Barbieri, Chiara Demagistris
Redazione · *Editing:* Elena Delmastro, Riccardo Minetti, Lavinia Pinello, Rachel Paul
Animali Fatati · *Fairy Animals:* Lunaea Weatherstone
Traduzione · *Translation:* Studio RGE

© 2020 Lo Scarabeo · Paolo Barbieri

Lo Scarabeo
Via Cigna 110 - 1055 Torino - Italy
www.loscarabeo.com
Facebook & Instagram: LoScarabeoTarot

Paolo Barbieri
www.paolobarbieriart.com
Facebook & Instagram: PaoloBarbieriArt

Prima Edizione · *First Edition:* 2020

Stampa a cura di · *Printed by:* Grafiche Stella

Paolo Barbieri

Night Fairies

Illustrazioni e Testi di · Artwork and Texts by
Paolo Barbieri

FANTASY VISIONS

LO SCARABEO

Una sola parola, a mio parere, può descrivere l'arte di Paolo Barbieri: Luce.
I suoi dipinti posseggono una luminosità loro intrinseca, una spiritualità quasi
mistica, ecologica, che riluce sia all'interno che all'esterno dell'immagine.
In un mondo dove l'arte fantasy spesso vira verso l'oscurità, l'opera di Paolo
rischiara il cammino a un immaginario più sereno: una provvidenziale
lanterna capace di scacciare le tenebre in cui troppo facilmente ci perdiamo.

John Howe

To me there is one word that describes Paolo Barbieri's art: Light.
His paintings possess an intimate light of their own, an almost
mystical, ecological spiritualism that glows within and without.
In a world where fantasy often leans towards the dark, Paolo's work
lights the path to a brighter world of the imagination, a welcome
lantern to dispel the gloom into which we too easily stray.

John Howe

Di notte...

Il vento è come un sussurro.

La dolce brezza della sera accarezza foglie e rami, erba e oggetti dimenticati.

Il sole è ora un ricordo che ha ceduto il posto all'oscuro abbraccio della notte.

La luna, con la sua pallida luce, prende il sopravvento sulle timide stelle.

Alberi e cespugli.

Ombre tra le ombre.

Lontani fruscii del sottobosco sono incorniciati dal frinire dei grilli.

Si ode una civetta, mentre il gracidare delle rane riecheggia dagli stagni fino ai rami più alti.

Questa notte, qualcosa nell'aria porta profumi di antichi luoghi.

Questa notte, qualcosa nell'aria porta magie e incanti di ere lontane.

Questa notte, qualcosa nell'aria porta sussurri di risvegli.

I fiori riaprono i loro petali.

Gli animali si destano incuriositi.

Occhi che dormivano da tempo si dischiudono, portando l'incanto di un passato colmo di racconti.

Strane creature tornano a palpitare nel buio tra cielo e terra, tra Beltane e Lytha.

Le Fate sono qui.

La natura prende forma e sentimento in queste creature, la cui origine è perduta in tempi dimenticati.

Queste creature sono sfuggenti: non si mostrano agli esseri umani tranne che per loro volontà.

Gli animali riescono però a vedere oltre l'incanto e si avvicinano incuriositi, riuscendo quasi a comprendere quelle voci così strane.

Le Fate non sono buone.

Le Fate non sono cattive.

Le Fate sono la natura che si plasma in nuove vite e forme.

Il bosco, pervaso da questa rinascita, risplende lussureggiante.

Seppur sia un evento inconsueto, persino animali e insetti vengono avvolti e trasfigurati dalla magia delle Fate.

Capita, a volte, che la coda delle volpi si allunghi.

Capita, a volte, che esseri leggendari ritornino nel tempo presente.

Capita, a volte, che anche un piccolo fungo si alzi in piedi per assistere alla magia di questa notte straordinaria.

In the night...

The wind is like a whisper.

The gentle evening breeze caresses leaves and branches, grass and forgotten objects.

The Sun is now all but a memory that has given way to Night's dark embrace.

The Moon, with its pale light, takes the upper hand over the timid stars.

Trees and bushes.

Shadows among the shadows.

The distant rustle of the undergrowth is framed by the chirping of the crickets.

An owl can be heard while the croaking of the frogs resounds around the pools up to the highest branches.

There is something in the air this night that brings scents and smells from ancient sites.

There is something in the air this night that brings magic and spells from distant times.

There is something in the air this night that brings whispers and wakening calls.

The flowers unfold their petals again.

The animals awaken, their curiosity aroused.

Eyes that had been asleep for some time begin to open, bearing the spell of a time gone by, full of tales.

Strange Creatures again throb in the dark shadows between sky and earth, between Beltane and Lytha.

The Fairies are here.

Nature takes form and feelings within these creatures, whose origins have been lost over the aeons of time.

These creatures are elusive: they can never be seen by humans unless they allow it to happen.

Animals, however, can see beyond this spell – intrigued, they move closer, almost managing to understand those strange voices.

Fairies are not good.

Fairies are not evil.

Fairies are nature that is moulded into new lives and forms.

Pervaded by this rebirth, the luxuriant wood glows brightly.

Though unusual, even the animals and insects are enveloped and transformed by the magic of the Fairies.

It sometimes happens that foxes' tails grow longer.

It sometimes happens that legendary beings return to the present.

It sometimes happens that even a little mushroom takes to its feet to witness the magic of this extraordinary night.

Tramonto

Sunset

Sera

Evening

Di notte, un fungo…

In the night, a mushroom…

Un fungo o una piccola creatura?

A mushroom or a little creature?

Lei osserva

─────── ❧ ───────

She watches

Lei vede il cielo e il bosco

She can see the sky and the wood

Lei è curiosa

She is curious

Lei osserva altre piccole creature

❦

She watches other little creatures

Anche le piccole creature osservano lei

❦

The little creatures also watch her

Altre creature si stanno risvegliando, nella magia di una notte di mezza estate

Other creatures are awakening, in the magic of a midsummer night

APE

BEE

Di notte una Fata si sveglia
tra i fiori e il ronzio di un assonnato insetto

In the night a Fairy wakes up
among the flowers and the hum of a sleepy insect

AQUILA

EAGLE

Di notte una Fata si sveglia
e si libra in volo al fianco di una splendida regina dei cieli

In the night a Fairy wakes up
and soars in flight alongside a magnificent queen of the skies

CAVALLO
HORSE

*Di notte una Fata si sveglia
tra il fuoco dei suoi capelli e un elegante destriero nero*

*In the night a Fairy wakes up
between the fire of her hair and a beautiful black steed*

CERVO

STAG

Di notte una Fata si sveglia
tra piccole creature danzanti e un sovrano dalla strana corona

In the night a Fairy wakes up
among small dancing creatures and a sovereign with a strange crown

CIGNO
SWAN

Di notte una Fata si sveglia
tra le ninfee e il battito d'ali di un elegante visitatore

In the night a Fairy wakes up
among the water lilies and the flapping wings of an elegant visitor

CIVETTA

OWL

Di notte una Fata si sveglia
e rinasce in un timido volo insieme a due guardiane

In the night a Fairy wakes up
and is reborn in a timid flight protected by two guardians

COLIBRÌ
HUMMINGBIRD

*Di notte una Fata si sveglia
tra capelli di boccioli che richiamano un piccolo amico*

*In the night a Fairy wakes up
among the hairs of flower buds calling a little friend*

CONIGLIO
RABBIT

*Di notte una Fata si sveglia
tra i profumi del sottobosco e un timido confidente*

*In the night a Fairy wakes up
among the smells of the undergrowth and a shy confidant*

CORVO
CROW

Di notte una Fata si sveglia
tra oggetti perduti, di fianco a un nero portatore

In the night a Fairy wakes up
among lost items and alongside a black bearer

DRAGO
DRAGON

Di notte una Fata si sveglia
tra lunghi capelli e un altero guardiano

In the night a Fairy wakes up
in long hair alongside an arrogant guardian

FARFALLA
BUTTERFLY

Di notte una Fata si sveglia
in una foresta di funghi, accarezzata da una delicata compagna

In the night a Fairy wakes up
in a forest of mushrooms and caressed by a delicate companion

GATTO

CAT

*Di notte una Fata si sveglia
tra il riflesso delle acque e un indomito cacciatore*

*In the night a Fairy wakes up
among reflections in the waters and an invincible hunter*

GRIFONE

GRYPHON

*Di notte una Fata si sveglia
tra una bianca veste e un arcaico guerriero*

*In the night a Fairy wakes up
between a white robe and an ancient warrior*

LIBELLULA

DRAGONFLY

*Di notte una Fata si sveglia
protetta da un veloce predatore*

*In the night a Fairy wakes up
guarded by a swift hunter*

LUPO

WOLF

Di notte una Fata si sveglia
e osserva il mondo insieme a un fiero condottiero

In the night a Fairy wakes up
and discovers a world together with a proud leader

MANTIDE
MANTIS

*Di notte una Fata si sveglia
e scopre di poter sussurrare a minute cacciatrici*

*In the night a Fairy wakes up
and discovers she can whisper to tiny hunters*

ORSO

BEAR

Di notte una Fata si sveglia
tra le stelle, accoccolata sopra a un potente signore

In the night a Fairy wakes up
among the stars, snuggling up to a mighty lord

RANA

FROG

Di notte una Fata si sveglia
vicino a un ruscello, in compagnia di una gracidante amica

In the night a Fairy wakes up
next to a stream and in the company of a small, croaking friend

RICCIO

HEDGEHOG

*Di notte una Fata si sveglia
appoggiata a un antico oggetto mentre uno schivo visitatore la osserva*

*In the night a Fairy wakes up
and caresses an ancient object while a bashful visitor watches her*

SCOIATTOLO

❧

SQUIRREL

*Di notte una Fata si sveglia
accanto a un apprensivo saltimbanco*

*In the night a Fairy wakes up
to an anxious acrobat*

SERPENTE

SNAKE

*Di notte una Fata si sveglia
tra antichi alberi e un indeciso viandante*

*In the night a Fairy wakes up
among ancient trees and a wavering wayfarer*

TARTARUGA

TORTOISE

*Di notte una Fata si sveglia
e gioca con un'anziana vedetta*

*In the night a Fairy wakes up
and plays with an elderly lookout*

TASSO
BADGER

*Di notte una Fata si sveglia
tra l'erba e uno scaltro cercatore*

*In the night a Fairy wakes up
in the grass with a wily seeker*

TOPO
MOUSE

Di notte una Fata si sveglia
tra il muschio di un antico muro e un indiscreto alleato

In the night a Fairy wakes up
among the moss on an ancient wall and an indiscreet ally

UNICORNO
UNICORN

*Di notte una Fata si sveglia
tra antiche rovine e un leggendario viandante*

*In the night a Fairy wakes up
among ancient ruins and a legendary wanderer*

VOLPE
FOX

Di notte una Fata si sveglia
in un turbine di foglie sotto lo sguardo vigile di una prode signora

In the night a Fairy wakes up
in a flurry of leaves and under the watchful gaze of an intrepid lady

Quante Fate e quante creature durante questa notte

What a lot of Fairies and what a lot of creatures during this night

Ora lei è stanca

Now she is tired

Le stelle svaniscono

The stars disappear

All'alba, un fungo…

———————— ❦ ————————

At dawn, a mushroom…

UNICORNO TIGRE
TIGER UNICORN

*Lontano dalla notte, sopra un compagno
dal manto tigrato, una Fata saluta il nuovo giorno*

*Far from the night, while standing over a companion
adorned with tiger stripes, a Fairy wakes up to the daylight*

Paolo Barbieri racconta

Un bambino guardava la tv e i suoi eroi: di fianco un foglio bianco, a righe o a quadretti. Così ho iniziato a disegnare.

Non disegnavo per passione ma per "fuggire", per creare dei mondi che mi meravigliassero e che, in un certo senso, mi facessero sentire al sicuro. Immaginavo astronavi, robot e creature che vivevano e lottavano in luoghi lontani. Immaginavo me stesso su una piccola navicella di fronte all'immensità di Saturno e dei suoi anelli. Sì, mi ero creato il mio piccolo vascello spaziale con una grande cupola trasparente in modo da poter ammirare i pianeti, le stelle e le nebulose.

Da piccolo non mi piaceva mostrare i miei disegni agli amici anche se a volte "cedevo" alla loro curiosità. Quelle fantasie erano solo mie. Strano come oggi la mia professione mi abbia portato all'estremo opposto, rendendo le mie illustrazioni fruibili a tutti. In fondo, l'evoluzione può avere molti risvolti imprevedibili.

Lo Scarabeo è l'editore che da diversi anni pubblica i miei libri illustrati. Con Lo Scarabeo ho avuto un cambiamento realmente inaspettato: in fondo, fino a qualche anno fa, non avrei mai immaginato di realizzare dei libri aventi come temi lo Zodiaco, gli Unicorni, i Gatti Fantasy e i Draghi tra le stelle. Eppure la creatività rappresenta per me l'ignoto e la possibilità di esplorarlo attraverso luci, forme e colori. Di questo ringrazio Lo Scarabeo, che in questo percorso mi ha accompagnato e mi ha fatto comprendere un lato sconosciuto della mia fantasia. Mario e Piero hanno creduto in me fin dal principio e questa collaborazione ha generato questo nuovo libro. I ringraziamenti, come un grande abbraccio, si estendono a tutte le altre persone della casa editrice che mi hanno assistito e aiutato a creare questo strano mondo fantasy.

Come fare per non ripetere mille volte grazie? Gli amici hanno spesso svolto un ruolo inconsapevole e importante per la mia creatività. Loro lo sanno. A volte basta uno sguardo, un movimento, un'ombra o un profumo per farmi immaginare nuove forme che si tramuteranno in disegni. Altre volte è la stessa natura che con le sue mille sfaccettature immerse tra flora e fauna mi regala ispirazioni infinite.

Molte delle Fate di questo libro sono nate e si sono evolute grazie a persone che mi hanno prestato il loro sguardo e la loro fiducia: Alice Daniele-Sergeant Ice, Simona Ferrauti, Maria Chiara Lo Gerfo, Chiara Incudini, Virginia Kafkanya, Claudia Manfredi, Annalisa Manunta, Stefania Sottile.

Gli ultimi ringraziamenti vanno alle persone speciali, a volte un po' timide, e a mia madre.

Paolo Barbieri tells

A child was watching the TV and his heroes, beside him a clean white sheet, with lines or squares. That's how I started drawing.

I did not draw as a hobby but to "escape", to create worlds that would amaze me and, in one sense, make me feel safe. I used to imagine spaceships, robots, and creatures that lived and fought in distant places. I used to imagine myself on a small spaceship watching the vast expanse of Saturn and its rings. Yes, I had created my own little spacecraft with a large transparent dome so I could view planets, stars, and nebulae.

As a child, I did not like to show my drawings to friends, although I sometimes "gave in" to their curiosity. Those fantasies were only my own. Funny how my profession has now led me right in the opposite direction, making my illustrations accessible to everyone. After all, evolution can have many unpredictable outcomes.

Lo Scarabeo is the publisher that has been publishing my picture books for many years. With Lo Scarabeo, I have enjoyed a truly unexpected change: after all, just a few years ago, I would never have imagined producing books with themes such as the Zodiac, Unicorns, Fantasy Cats, and Dragons among the stars. Yet creativity represents for me the unknown and the opportunity to explore it through lights, shapes, and colours. I am grateful to Lo Scarabeo for this, because they have accompanied me along this path and helped me understand an unknown side of my imagination. Mario and Piero believed in me right from the beginning, and our collaboration together has generated this new book. My thanks, like a wide embrace, are extended to all the other people at the publishing house who have assisted me and helped me create this strange fantasy world.

How can I ever thank them enough? Friends have often played an unconscious yet important role in my creativity. They know that. Sometimes it only takes a look, a movement, a shadow, or a scent for me to imagine new forms that will turn into drawings. Other times, it is nature itself, with its countless facets surrounded by flora and fauna, that showers me with endless inspirations.

Many of the Fairies in this book were conceived and evolved thanks to people who lent me their eyes and their trust: Alice Daniele-Sergeant Ice, Simona Ferrauti, Maria Chiara Lo Gerfo, Chiara Incudini, Virginia Kafkanya, Claudia Manfredi, Annalisa Manunta, and Stefania Sottile.

My last thanks go to special, sometimes rather shy, people and to my mother.

Animali Fatati

A cura di
Lunaea Weatherstone

Sin dai tempi più remoti, le molteplici culture dell'umanità hanno osservato la natura per riuscire a dare un senso al mondo in cui vivevano. Ciò che hanno compreso è diventato scienza, mentre ciò che sono state solo in grado di "percepire", senza riuscire mai ad afferrarlo, è diventato "magia". La natura comprendeva il cielo, le stagioni, la pioggia e le maree, le pietre, i cristalli, le piante e, ovviamente, tutti gli animali. Non sorprende quindi che, in ogni cultura del mondo antico, la natura degli animali sia stata osservata e in qualche modo abbinata, per affinità, alle virtù umane: al leone era associata la forza, mentre un pavone simboleggiava la bellezza o la vanità.

Nell'attraversare, avanti e indietro, l'indefinito confine tra realtà e immaginazione, siamo in grado di creare il nostro personale tipo di magia: una magia profondamente radicata nel mondo naturale, ma che non vi è confinata. Alla luce del sole, probabilmente, gli animali sono solo animali, ma dopo il crepuscolo, nelle ombre, fra ciò che è e ciò che può essere, essi liberano la loro natura magica e fatata pur mantenendo le loro caratteristiche, in grado di entrare in risonanza con le personalità umane.

Il mondo magico e il mondo naturale non sono regni separati: sono intrecciati e coesistono attraverso alleanze di animali fatati. Animali, uccelli, insetti - tutti hanno un legame con le Fate, e la varietà infinita della natura fatata si rispecchia in essi. Ogni Fata è attratta dalla creatura che ne condivide energia ed essenza.

Ape
La natura dell'ape è salda, responsabile e devota. Le api si considerano parte di un tutto più grande, in cui le esigenze individuali diventano inevitabilmente secondarie. L'energia dell'ape è affidabile.

Aquila
La natura dell'aquila è aristocratica, concreta e distaccata. Le aquile vedono il mondo da una maggiore altezza e da una prospettiva più ampia. L'energia dell'aquila è acuta.

Cavallo
La natura del cavallo è risoluta, tollerante e sincera. Quando un cavallo concede amicizia di propria spontanea volontà, è per tutta la vita. L'energia del cavallo è amorevole.

Cervo
La natura del cervo è nobile, territoriale e altera. I cervi hanno una forte dignità che incute profondo rispetto in tutte le creature. L'energia del cervo è guardinga.

Cigno
La natura del cigno è pacifica, fedele e poetica. I cigni vigilano sui portali fra i mondi, muovendosi sia sotto che sopra il pelo dell'acqua. L'energia del cigno è serena.

Civetta

La natura della civetta è saggia, lungimirante e profetica. Le civette sono predatori spietati, però mai animati da collera o vendetta. L'energia della civetta è vigile.

Colibrì

La natura del colibrì è veloce, precisa e determinata. I colibrì hanno una forza fisica straordinaria rispetto alle loro minuscole dimensioni. L'energia del colibrì è irrequieta.

Coniglio

La natura del coniglio è intuitiva, diffidente e prudente. I conigli sopravvivono grazie ad abilità e astuzia, acquisite tramite l'esperienza. L'energia del coniglio è tesa.

Corvo

La natura del corvo è sincera, profonda e caparbia. I corvi osservano e commentano ogni cosa, sono i veggenti del regno animale. L'energia del corvo è ironica.

Drago

La natura del drago è protettiva, possessiva e bramosa. I draghi sono o alleati o nemici, non conoscono le vie di mezzo. L'energia del drago è esplosiva.

Farfalla

La natura della farfalla è delicata, effimera e pacifica. Le vite delle farfalle saranno anche brevi, ma trascorrono alla ricerca di bellezza e piacevolezza. L'energia della farfalla è leggera.

Gatto

La natura del gatto è curiosa, aggraziata ed empatica. I gatti passano facilmente dal regno naturale a quello sovrannaturale, e di notte rivelano il loro potere. L'energia del gatto è sensuale.

Grifone

La natura del grifone è maestosa, complessa e dominante. I grifoni sentono il sacro dovere di difendere chi è debole e vulnerabile. L'energia del grifone è inflessibile.

Libellula

La natura della libellula è spensierata, evolutiva e sensibile. Le libellule sono nate dall'acqua per sfiorarne la superficie, scintillanti di gioia. L'energia della libellula è mutevole.

Lupo

La natura del lupo è selvaggia, intelligente e coraggiosa. I lupi sono appassionatamente leali al loro branco nei momenti gioiosi così come in quelli difficili. L'energia del lupo è libera.

Mantide

La natura della mantide è contemplativa, filosofica e scaltra. Le mantidi sono confidenti comprensive e sanno mantenere i segreti. L'energia della mantide è silente.

Orso
La natura dell'orso è forte, confortante e resistente. Gli orsi sono impavidi, con una forza derivante sia dalla loro stazza che dalla sicurezza in sé stessi. L'energia dell'orso è materna.

Rana
La natura della rana è amichevole, adattabile e spassosa. Le rane hanno molte opinioni e aneddoti, che condividono ad ogni occasione. L'energia della rana è tranquilla.

Riccio
La natura del riccio è umile, modesta e autoprotettiva. I ricci hanno poche esigenze e si accontentano di semplici comodità. L'energia del riccio è gentile.

Scoiattolo
La natura dello scoiattolo è laboriosa, nervosa e prudente. È difficile per gli scoiattoli trovare pace, sono più felici quando sono indaffarati. L'energia dello scoiattolo è intensa.

Serpente
La natura del serpente è trasformista, riservata e mistica. I serpenti tengono per sé i loro pensieri, osservando e valutando. L'energia del serpente è senza età.

Tartaruga
La natura della tartaruga è meditabonda, paziente e concreta. Le tartarughe sanno cosa è meglio per loro e non vengono influenzate dalle opinioni altrui. L'energia della tartaruga è longeva.

Tasso
La natura del tasso è difensiva, scettica e domestica. I tassi amano teneramente la loro comunità sotterranea, diventano aggressivi solo se attaccati. L'energia del tasso è feroce.

Topo
La natura del topo è timorosa, sobria e volta alla sopravvivenza. I topi si alleano con altri esseri timidi, unendo il loro coraggio per affrontare le sfide. L'energia del topo è inquieta.

Unicorno
La natura dell'unicorno è innocente, magica e visionaria. Gli unicorni si uniranno solo ai puri di cuore, e così manterranno puri anche sé stessi. L'energia dell'unicorno è radiosa.

Volpe
La natura della volpe è astuta, arguta e audace. Le volpi sono strateghe e abili consulenti che danno buoni consigli alle Fate. L'energia della volpe è resiliente.

Fairy Animals

By
Lunaea Weatherstone

Since ancient times, the many cultures of humanity looked at nature in order to make sense of the world they lived in. What they understood became science, while what they were only able to somewhat "feel", but never clearly grasp, became "magic". Nature was the sky, the seasons, the rain and the floods, the stones, the crystals, the plants, and – of course – all the animals. It should come as no surprise that in every culture of the old world, the nature of animals was observed and somewhat paired – through affinity – with human virtues: a lion was strength, while a peacock symbolized beauty or vanity.

As we cross back and forth between the indistinct boundary between reality and imagination, we are able to create our own kind of magic: a magic that is rooted deeply in the natural world but is not confined by it. In the daylight, maybe, animals are just animals, but after dusk, in the shadows between what is and what can be, animals awaken to their magical and fairy nature, and yet they keep their own essence, able to resonate with human personalities.

The magical world and the natural world are not separate realms. They are entwined and coexist through fairy-animal alliances. Beasts, birds, and insects all have their relationships with the Fairies, and the infinite variety of fairy nature is mirrored in their animal companions. Each Fairy is drawn to the creatures who share their energy and essence.

Bee
Bee nature is steady, responsible, and dedicated. Bees see themselves as part of a greater whole, where individual needs naturally come second. Bee energy is serious.

Eagle
Eagle nature is aristocratic, unsentimental, and aloof. Eagles see the world from a great height and with the widest perspective. Eagle energy is sharp.

Horse
Horse nature is steadfast, accepting, and true. When a horse gives friendship of its own free will, it is for a lifetime. Horse energy is loving.

Stag
Stag nature is noble, territorial, and proud. Stags have a mighty dignity that commands deep respect from all creatures. Stag energy is vigilant.

Swan
Swan nature is peaceful, devoted, and poetic. Swans guard the portals between the worlds, moving both above and below the water's surface. Swan energy is serene.

Owl

Owl nature is wise, far-seeing, and prophetic. Owls are ruthless hunters, but never strike from anger or vengeance. Owl energy is watchful.

Hummingbird

Hummingbird nature is swift, precise, and determined. Hummingbirds have tremendous physical strength for their tiny size. Hummingbird energy is restless.

Rabbit

Rabbit nature is intuitive, wary, and cautious. Rabbits survive through skill and cunning, acquired by experience. Rabbit energy is edgy.

Crow

Crow nature is truthful, insightful, and opinionated. Crows comment on all events and are the soothsayers of the animal realm. Crow energy is amused.

Dragon

Dragon nature is protective, possessive, and covetous. Dragons are either allies or enemies—they know no middle ground. Dragon energy is explosive.

Butterfly

Butterfly nature is gentle, ephemeral, and tranquil. Butterfly lives may be brief, but they are spent in the pursuit of beauty and sweetness. Butterfly energy is light.

Cat

Cat nature is curious, graceful, and empathic. Cats walk easily between natural and supernatural realms, and night is their most powerful time. Cat energy is sensual.

Gryphon

Gryphon nature is majestic, complex, and commanding. Gryphons feel a sacred duty to defend the helpless and vulnerable. Gryphon energy is stern.

Dragonfly

Dragonfly nature is blithe, evolutionary, and emotional. Dragonflies are born from the water to skim its surface in shimmering joy. Dragonfly energy is changeable.

Wolf

Wolf nature is wild, intelligent, and courageous. Wolves are passionately loyal to their pack through joyful times and times of sorrow. Wolf energy is free.

Mantis

Mantis nature is contemplative, philosophical, and shrewd. Mantises are sympathetic confidants and are good at keeping secrets. Mantis energy is quiet.

Bear

Bear nature is strong, healing, and enduring. Bears are fearless, with a strength that comes from both size and confidence. Bear energy is maternal.

Frog

Frog nature is friendly, adaptable, and humorous. Frogs have many opinions and stories, and they will share them at every opportunity. Frog energy is calm.

Hedgehog

Hedgehog nature is humble, modest, and self-protective. Hedgehogs' needs are few, and they are content with simple comforts. Hedgehog energy is kind.

Squirrel

Squirrel nature is industrious, fretful, and prudent. Squirrels are happiest when they are busy, and peace is hard to come by. Squirrel energy is intense.

Snake

Snake nature is transformational, secretive, and mystical. Snakes keep their thoughts to themselves, observing and judging. Snake energy is ageless.

Tortoise

Tortoise nature is thoughtful, patient, and grounded. Tortoises know what's best for them and are not influenced by other opinions. Tortoise energy is sustaining.

Badger

Badger nature is defensive, skeptical, and domestic. Despite their ferocity when challenged, badgers dearly love their underground community. Badger energy is fierce.

Mouse

Mouse nature is timid, survivalist, and frugal. Mice keep company with other shy beings, combining their courage to face challenges. Mouse energy is nervous.

Unicorn

Unicorn nature is innocent, magical, and visionary. Unicorns will only associate with the pure of heart, and thus keep themselves pure as well. Unicorn energy is radiant.

Fox

Fox nature is crafty, witty, and bold. Foxes are strategists and clever counselors who give good advice to the fairies. Fox energy is resilient.

ph. Luca Rebustini

Paolo Barbieri

Paolo Barbieri è un artista italiano con più di vent'anni di carriera editoriale di successo. Ha collaborato come illustratore con le più importanti case editrici (sia in Italia che nel resto del mondo), illustrando copertine di libri di autori come Michael Crichton, Ursula K. Le Guin, George RR Martin, Licia Troisi, Umberto Eco, Sergei Lukyanenko, Marion Zimmer Bradley, Alberto Angela, Wilbur Smith e molti altri.

Nel 2011 è stato il primo italiano ad essere l'illustratore Ospite d'Onore di Lucca Comics, con una mostra retrospettiva che lo ha visto protagonista nelle splendide sale del Palazzo Ducale della città. Ha inoltre pubblicato diversi libri di illustrazioni, a partire da *Creature del mondo emerso* (2008) e *Guerre del mondo emerso - Guerrieri e creature* (2010), ispirati ai fortunati libri fantasy di Licia Troisi.

Dopo i primi due libri ha iniziato ad esplorare da solo e con grande successo alcuni archetipi leggendari: La mitologia greca (*Favole degli Dei*, 2011), l'Inferno di Dante (*L'Inferno di Dante illustrato da Paolo Barbieri*, 2012), l'Apocalisse (*L'Apocalisse illustrata da Paolo Barbieri*, 2013) e le fiabe tradizionali (*Fiabe Immortali*, 2014).

Le sue opere più recenti sono state un mazzo di Tarocchi per Lo Scarabeo (*Tarocchi Barbieri*, 2015) e altri cinque libri di illustrazioni: *Sogni* (2015), *Zodiaco* (2016), *Fantasy Cats* (2017), *Unicorns* (2018) e *Stardragons* (2019).

Paolo Barbieri is an Italian artist with more than twenty years of successful career in publishing. He has worked as illustrator with the most important publishing houses (both in Italy and in the rest of the world), illustrating covers of books by authors like Michael Crichton, Ursula K. Le Guin, George RR Martin, Licia Troisi, Umberto Eco, Sergei Lukyanenko, Marion Zimmer Bradley, Alberto Angela, Wilbur Smith and many more.

In 2011, he was the first Italian to be an illustrator Artist Guest of Honor of Lucca Games, with a retrospective exhibition which saw him starring in the splendid rooms of the Ducal Palace of the city.

He also published several illustration books, starting with *Creature del mondo emerso* (2008) and *Guerre del mondo emerso - Guerrieri e creature* (2010), inspired by Licia Troisi successful fantasy books.

After the first two books he started exploring on his own and with great success several legendary archetypes: Greek mythology (*Favole degli Dei*, 2011), Dante's Inferno (*L'Inferno di Dante illustrato da Paolo Barbieri*, 2012), the Apocalypses (*L'Apocalisse illustrata da Paolo Barbieri*, 2013), and traditional fairy tales (*Fiabe Immortali*, 2014).

His most recent works are a Tarot deck for Lo Scarabeo (*Barbieri Tarot*, 2015), and five other illustration books: Dreams (*Sogni*, 2015), *Zodiac* (2016), *Fantasy Cats* (2017), *Unicorns* (2018) and *Stardragons* (2019).

Indice

Table of Contents